D1219391

LA BALLENA EN INVIERNO

Agradecimientos para
Nía, Lara y Jane

Título original: The Storm Whale in Winter.
Publicado por primera vez en Inglaterra en 2016, por
Simon and Schuster UK Ltd, 1st Floor, 222 Gray's Inn
Road, London WC1X 8HB. A CBS Company.

Traducción: A. Schmidt y C.Domínguez

Los Conquistadores 1700, Piso 10, Providencia,
Santiago de Chile
zigzag@zigzag.cl / www.zigzag.cl
ISBN: 978-956-12-2927-3
Primera edición, 2016.

Impreso en China.

LA BALLENA EN INVIERNO

Benji Davies

ZIG-ZAG

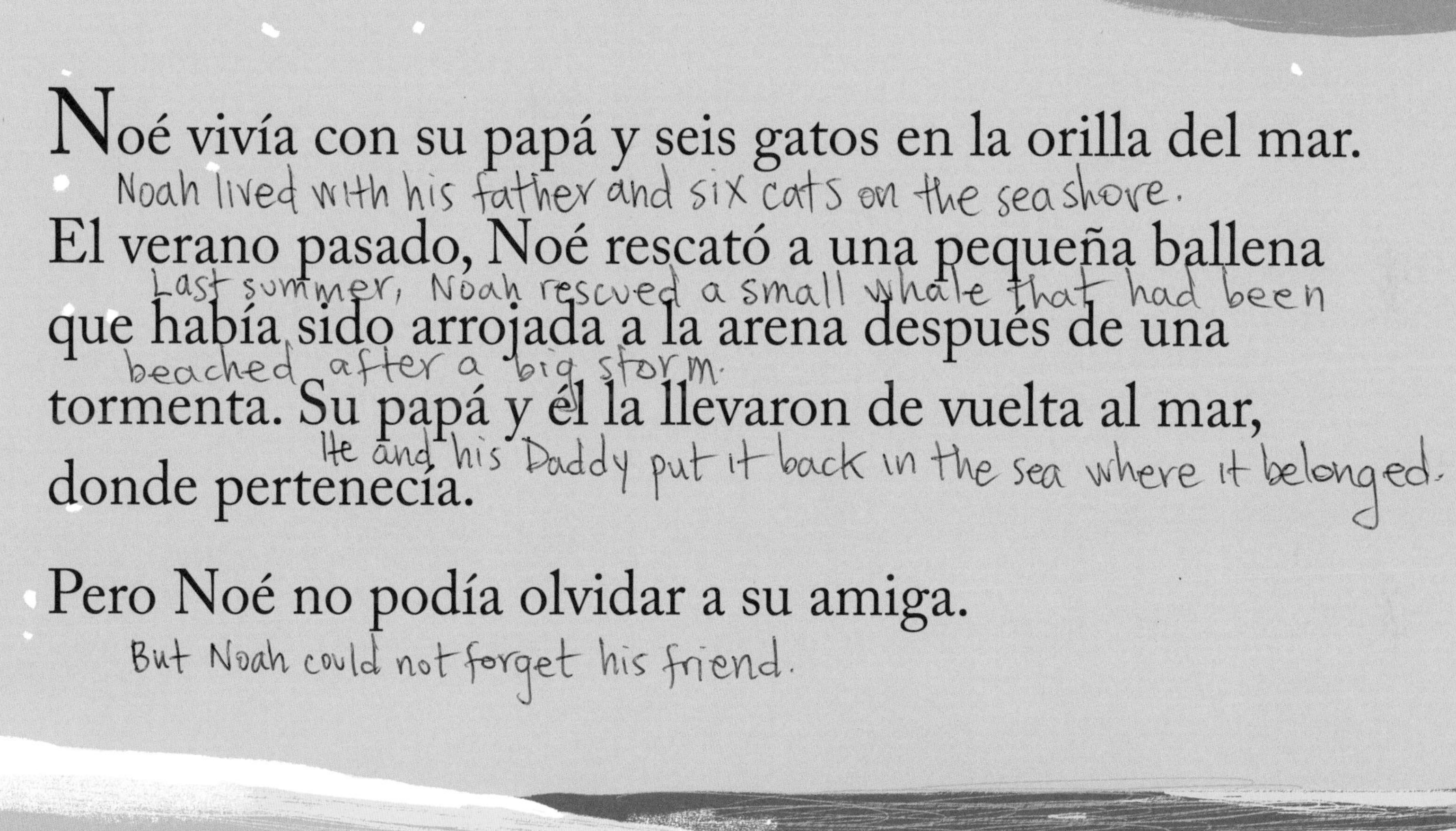

Noé vivía con su papá y seis gatos en la orilla del mar.
Noah lived with his father and six cats on the seashore.
El verano pasado, Noé rescató a una pequeña ballena
Last summer, Noah rescued a small whale that had been
que había sido arrojada a la arena después de una
beached after a big storm.
tormenta. Su papá y él la llevaron de vuelta al mar,
He and his Daddy put it back in the sea where it belonged.
donde pertenecía.

Pero Noé no podía olvidar a su amiga.
But Noah could not forget his friend.

De vez en cuando Noé creía divisar a la
From time to time, Noah thought he saw the
ballena mar adentro, la punta de su cola
whale in the ocean, with its tail sticking out
asomándose entre las olas.
of the waves.

Pero siempre era otra cosa.

But it was always something else.

Se acercaba el invierno, y el mar alrededor de la isla comenzaba a cubrirse de hielo.

As winter approached and the water around the island began to ice over

Entonces el papá de Noé salió por última vez en su bote de pesca.

Noahs daddy went out on his boat for one last fishing trip of the season.

Cuando oscureció, su papá
When night came and his Daddy
aún no regresaba a casa y
still hadn't returned from sea,
Noé comenzó a preocuparse.
Noah began to worry.

Noé miraba y esperaba,
Noah watched and waited,
esperaba y miraba.
watched and waited until
Hasta que algo se
something appeared
asomó en el mar.
on the horizon.

It had to be his Daddy!
¡Tenía que ser su papá!

Se aseguró de que los seis gatos estuvieran a salvo dentro de la casa y corrió hacia la playa.

Noé arrastró su bote hasta la orilla del mar,
Noah dragged his boat to the sea shore but the
pero el agua estaba totalmente congelada.
water was completely frozen.
"Tengo que tener cuidado", pensó mientras
"I have to be careful" he thought as he walked
caminaba sobre la gruesa capa de hielo.
on a thick layer of ice.

Mientras más se alejaba Noé,
más fuerte nevaba, hasta que
todo a su alrededor se veía igual.

¡Noé estaba perdido!

Entonces distinguió una figura
gris que parpadeaba bajo la luz
de su lámpara.

Era el bote de su papá varado en el hielo.

Noé trepó rápidamente a él.

–¿Papá? –llamó Noé.

Pero su voz se hizo eco… el bote estaba vacío.

Noé no supo qué hacer. Se acurrucó con fuerza mientras imaginaba que el mar profundo se sacudía bajo él, y comenzó a sentir miedo.

De pronto, en medio de la oscuridad, el bote hizo ¡BUMP!

Era la ballena.

Toda su familia había venido para ayudar a Noé.

Las ballenas asomaron sus narices al frío aire de la noche.

Y se unieron en un canto de soplidos de vapor y espuma, mientras el hielo crujía y se quebraba.

De alguna manera sabían exactamente hacia donde ir.

El pequeño bote chocó fuerte contra las rocas.

–¡Papá! –gritó Noé.

–¡Noé! ¿Qué haces aquí? –preguntó su papá.

–Tenía que encontrarte –le explicó Noé.

A medida que el invierno se convertía lentamente en primavera, Noé y su papá solían conversar sobre esa fría y congelada noche.

La noche en que los pescadores rescataron a papá, y la ballena rescató a Noé.

Y Noé sonreía…

...porque fue la noche en
que volvió su amiga.

LA
BALLENA